Nous remercions la SODEC
et le Conseil des Arts du Canada
de l'aide accordée à notre programme de publication
ainsi que le gouvernement du Québec
– Programme de crédit d'impôt
pour l'édition de livres
– Gestion SODEC.

Patrimoine   Canadian
canadien   Heritage

Conseil des Arts   Canada Council
du Canada   for the Arts

Nous reconnaissons l'aide financière
du gouvernement du Canada
par l'entremise du Fonds du livre du Canada
pour nos activités d'édition.

Illustré par :
Mylène Henry

Montage de la couverture :
Grafikar

Édition électronique :
Infographie DN

Dépôt légal : 3ᵉ trimestre 2012
Bibliothèque nationale du Canada
Bibliothèque nationale du Québec

1234567890 IM 098765432

Copyright © Ottawa, Canada, 2012
Éditions Pierre Tisseyre
ISBN 978-2-89633-221-2
11443

L'ÉTOILE DES MERS

**Catalogage avant publication
de Bibliothèque et Archives nationales du Québec
et Bibliothèque et Archives Canada**

Laflamme, Sonia K.

L'Étoile des Mers

(Collection Sésame ; 132.)
Pour enfants de 6 à 9 ans.

ISBN 978-2-89633-221-2

I. Henry, Mylène. II. Titre III. Collection :
Collection Sésame ; 132.

PS8573.A351E86 2012   jC843'.6   C2012-941129-9
PS9573.A351E86 2012

SONIA K. LAFLAMME

L'ÉTOILE
des Mers

roman

ÉDITIONS
PIERRE TISSEYRE
www.tisseyre.ca

155, rue Maurice
Rosemère (Québec) J7A 2S8
Téléphone : 514-335-0777 – Télécopieur : 514-335-6723
Courriel : info@edtisseyre.ca

*À Stella Maris, ma fille,
mon ange, mon étoile.*

1

MARIN
SANS PIED MARIN

Marin vit dans un petit village, au bord de la mer. Il vient d'une longue lignée de pêcheurs. Son père, ses grands-pères et ses arrière-grands-pères en étaient, de même que la plupart de ses lointains ancêtres. Dans la famille, tant du côté de son père que de celui de sa mère, les hommes ne savent faire qu'une seule chose : prendre des poissons dans leurs filets.

Pourtant, le garçon a une peur bleue de l'eau. C'est comme cela depuis toujours. Il ne sait ni pourquoi il souffre de cette phobie ni d'où elle lui vient.

Dès qu'il pose le pied sur la grève, sa vue s'embrouille. Son cœur se met à battre la chamade. Son corps tremble comme une feuille dans le vent d'automne. Son ventre lui fait mal. Lorsque son père prend le large pour aller tendre ses filets, de grosses larmes roulent sur les joues du garçon.

Même le soir, quand vient le temps de prendre son bain, la crise éclate. Car Marin redoute de disparaître avec l'eau de la baignoire par le petit tuyau placé sous les

robinets. Lui, il préfère se laver à la débarbouillette. C'est beaucoup moins rigolo mais, au moins, il a l'esprit tranquille !

Et de l'eau ? En boit-il ? Hum, ce serait trop beau ! Marin n'en boit plus une goutte depuis qu'il a appris, à l'école, qu'on peut provoquer « une tempête dans un verre d'eau ». Il a bien trop peur de s'étouffer !

À l'école du village, Marin est le plus vieux des élèves, mais cela n'empêche pas les autres de se moquer de lui :

— Marin n'a pas le pied marin !

— Ce n'est qu'un marin d'eau douce !

La maîtresse soupire et le regarde d'un air découragé. Avec sa peur maladive, va-t-il briser les traditions familiales et mettre fin à sa longue lignée de pêcheurs ? À qui reviendra l'héritage de ses ancêtres ?

— Ne t'en fais pas, dit souvent Ondine, la meilleure amie de Marin. Tout va s'arranger.

— Tu ne comprends pas ! réplique-t-il d'un air triste. Maman passe ses journées à se demander ce que je vais devenir. Et papa... ah ! Je lui fais honte... Ses compagnons de pêche n'arrêtent pas de lui tirer la pipe et il revient à la maison dans une de ces colères !

— Eh bien, moi, j'ai confiance en toi ! lui assure-t-elle avec le plus beau des sourires.

Marin hésite à la croire. Tout le monde sait qu'Ondine est amoureuse de lui depuis qu'ils sont hauts comme trois pommes. Et il paraît que l'amour rend aveugle, qu'il fait dire n'importe quoi...

La route de terre qui serpente entre l'école et la maison longe l'océan. Il n'y a pas d'autre chemin. Marin n'a pas le choix. S'il veut retourner chez lui, il doit suivre la plage.

Sac au dos, il marche vite. Il serre les fesses, les poings et les mâchoires. Il maintient le cap, le regard fixé droit devant lui. Il a peur que les vagues l'attrapent d'un seul coup pour l'engloutir.

—Il ne m'arrivera aucun malheur... Il ne m'arrivera aucun malheur..., se répète-t-il pour se donner du courage.

Mais c'est plus fort que lui. La peur reste ancrée dans ses

tripes. Les moqueries de ses camarades, les mots d'encouragement
d'Ondine ou la déception de ses
parents n'y changent rien non plus.
L'océan si grand, si bleu, si présent
partout autour lui donne froid dans
le dos. Il se sent trop petit à côté
de ce puissant monstre qui pourrait
l'avaler tout rond.

Alors, craignant que l'océan
ne devine ses pensées et ne se
déchaîne, il prend ses jambes à son
cou et court à en perdre haleine. Il
n'a qu'une envie : rentrer chez lui
et se réfugier dans sa chambre,
sous la couette de son lit. Là, il se
sent enfin à l'abri.

2

LE MONSTRE BLEU

L'océan a beau être grand et vieux, infini et éternel, il ne se montre pas toujours très sage. Parfois, quand il se fait avare, les pêcheurs reviennent bredouilles à la maison, sans un seul poisson dans leurs filets.

D'autres fois, le monstre bleu se met en colère. Il gronde, il soulève de hautes vagues et il crée de terribles remous qui ne pardonnent pas. Pire, il devient parfois aussi cruel qu'un ogre. Alors il fracasse des bateaux et avale des pêcheurs. Peut-être agit-il ainsi quand les hommes attrapent plus de poissons qu'il ne leur en faut pour vivre…

Et ce que craint Marin par-dessus tout finit par arriver : l'océan s'en prend à son père et à ses compagnons de pêche !

Après plusieurs jours d'absence, trois des sept voiliers reviennent enfin dans la baie, devant le village. Les voiles sont déchirées, les mâts sont brisés, les coques prennent l'eau. Les vêtements des pêcheurs sont trempés. Ils n'arrêtent pas de prier et écopent du mieux qu'ils peuvent.

Lorsqu'ils descendent à terre, les survivants se jettent dans les bras de leurs femmes et de leurs enfants. Ils sont ensuite forcés d'annoncer les mauvaises nouvelles aux veuves et aux orphelins, qui s'effondrent de tristesse et de désespoir.

— Mais qu'est-il arrivé ? demande la mère de Marin à son mari.

Le père du garçon frissonne en se rappelant la tragédie, en repensant à ses amis qui sont passés par-dessus bord et qu'il n'a plus revus depuis.

— De mémoire d'hommes, jamais on n'a vu un tel déchaînement ! Plus de la moitié des équipages y sont restés…

Comme tous les autres survivants, il est blessé. Sa jambe droite est cassée et le fait atrocement souffrir. Marin l'aide à marcher jusqu'à la maison.

— Merci, mon gars, souffle le père à son fils.

Les yeux de Marin s'emplissent de grosses larmes. Il y a longtemps que son père ne lui a pas parlé aussi gentiment. D'habitude, il s'emporte et le dispute.

«Il n'y a aucune raison d'avoir peur de l'eau, voyons!» a-t-il l'habitude de lui reprocher, comme si la phobie du garçon allait disparaître en un tournemain. «Fais un homme de toi!»

Ce jour-là, Marin a envie de dire à son père qu'il se trompe, que sa peur est justifiée, qu'on ne sait jamais à quoi s'attendre avec l'océan capricieux. Mais il n'en fait rien.

La porte se referme. Monsieur le docteur est reparti. Dans la modeste demeure, tout est silencieux et triste. Le frère et la sœur de Marin ont arrêté de jouer. Malgré leur jeune âge, ils savent que quelque chose de grave s'est produit.

— Qu'allons-nous faire? se lamente la mère.

— Tu as entendu le médecin, dit le père. Je dois attendre que ma jambe guérisse avant de retourner pêcher.

— De quoi allons-nous vivre, en attendant, si tu ne peux plus vendre ton poisson? s'inquiète la femme.

L'homme hausse les épaules. Il regarde Marin en soupirant. Si au moins son fils n'avait pas peur de l'eau, semble-t-il penser.

Marin emprunte le chemin de l'école. Devant les flots à perte de vue, il s'arrête un instant. Il a le cœur gros. La rage bouillonne dans sa tête, dans son ventre, dans ses poings. Cette fois, avec l'accident de pêche, le monstre bleu est allé trop loin.

Il ramasse un morceau de bois abandonné sur la plage et le lance de toutes ses forces dans l'eau.

— C'est ta faute! Je te déteste!

Aussitôt, une immense vague se forme et rejette le bout de bois sur la berge. Puis, chacune des vagues repousse un peu plus la branche qui revient aux pieds de Marin.

— Ça ne se passera pas comme ça! fulmine le garçon.

Il saisit de nouveau le morceau de bois et le propulse plus loin. L'objet revient encore avec le mouvement des vagues. À travers le ressac, Marin a l'impression d'entendre un rire qui se moque de sa peine et de son impuissance.

L'océan ne va pas gagner aussi facilement! Quelqu'un doit dompter ce monstre bleu. Mais qui?

3

LA GOÉLETTE
ABANDONNÉE

Ondine pleure. Des torrents de larmes cascadent sur le flanc de ses joues. Ses épaules sautillent comme une bille. Elle se ronge les ongles. Malgré la peine qu'il ressent lui aussi, Marin tente de la consoler :

— Ne t'en fais pas. Tout va s'arranger…

La jeune fille reconnaît les mots qu'elle a elle-même coutume de lui dire quand les autres ridiculisent Marin. Elle le regarde avec de grands yeux éperdus.

— Et comment ? se révolte-t-elle, la voix cassée. Nos pères sont blessés. Nous avons eu plus de chance que certains de nos compagnons, mais qui empêchera la misère de frapper notre village ? Toi, peut-être ?

Les paroles sont dures. Elles font mal. Jamais sa meilleure amie ne lui a parlé ainsi. Mais Marin comprend sa détresse. Il la prend dans ses bras et lui caresse les cheveux.

— Je te promets, Ondine, que je vais tout faire pour trouver une solution.

Marin veut prendre soin de sa famille. Et il a fait une promesse à sa copine. Il est encore trop jeune pour travailler, mais c'est quand même lui le plus vieux des enfants du village. Et puis l'ouvrage ne lui fait pas peur.

Toutefois, depuis la tempête qui a blessé et même tué plusieurs pêcheurs, le village a changé. Les habitants ne sont plus que l'ombre d'eux-mêmes. Ils n'ont plus d'argent pour acheter ce dont ils ont besoin. La boulangerie, la boucherie, la fromagerie, le marché de fruits et légumes… Le barbier, le fleuriste, la couturière, le café… Tout est désormais fermé. Seule l'église est pleine à craquer. Ne reste plus qu'à prier. Car sans hommes en santé pour pêcher, pas de poisson ; sans poisson, pas d'argent !

À l'école aussi, les choses sont différentes. Les camarades de Marin ne se moquent plus de lui. Ils ont bien trop de chagrin et de tourments pour cela.

— Il existe toujours une solution, se dit le garçon pour s'encourager.

La seule qu'il voit s'étend à perte de vue, au-delà du quai et de la petite baie.

— N... non-on, bégaye-t-il malgré lui. Pas ça... Pas question que je m'embarque !

Juste de savoir qu'une multitude de poissons fourmillent dans les profondeurs sombres de l'océan le remplit d'angoisse. Mais si personne n'y va, comment sa famille et le village survivront-ils?

—À moins que je pêche un seul poisson, mais un gros, fait-il, songeur.

Avec une belle prise dans ses filets, Marin gagnerait beaucoup d'argent. Il pourrait subvenir aux besoins de sa famille. Peut-être même à ceux du village au complet... Il repense à sa douce Ondine que la misère a transformée. Il souhaite tant retrouver son amie d'autrefois, celle qui avait confiance en lui et qui souriait toujours.

—Je vais pêcher le plus gros poisson de l'océan!

Le garçon s'approche des bateaux restés en rade. Il s'aventure d'un pas prudent sur la grève. Il retient son souffle, prêt à rebrousser chemin. Son cœur bat fort dans sa poitrine. Les mains moites, il poursuit néanmoins sa route vers le quai. Il tente de ne pas marcher sur les galets ou les algues séchées qui recouvrent le sol. Il ne veut pas faire de bruit. Tout sauf réveiller la tempête qui sommeille dans l'immensité de l'océan.

Au-dessus de sa tête, les hirondelles de mer tournoient dans le ciel. Elles volent dans toutes les directions et jacassent plus que d'habitude. On dirait qu'elles veulent le mettre en garde. Mais Marin ne leur prête pas attention. Il ne voit que le mouvement des vagues et n'entend que leur bruit hypnotisant.

Il arpente le quai et se dirige vers un vieux voilier abandonné, un deux-mâts, dont la proue de bois prend des allures de belle sirène aux cheveux bouclés.

Dès qu'il monte à bord de la goélette, l'océan ondule. Marin est ballotté à tribord, puis à bâbord. Il balance vers l'avant, puis revient vers la poupe. Des haut-le-cœur le tenaillent. Son corps est tout crispé. Sa vision troublée dédouble les objets qui l'entourent.

— Il n'y a aucune raison d'avoir peur de l'eau, prononce-t-il, répétant les paroles de son père. Il n'y a aucune raison d'avoir peur…

Il respire à grandes goulées. L'air salin emplit ses poumons. Ses malaises s'estompent un peu. Alors, à l'aide de grosses cordes, le garçon hisse les voiles. Il largue les amarres, lève l'ancre et s'agrippe à la roue. Le vent souffle, gonflant les trois grandes toiles. Le voilier s'éloigne du port en glissant lentement sur les flots.

Intrigués, les camarades de l'apprenti pêcheur se regroupent sur le quai et lui font des signes de la main.

— Reviens, Marin! Tu sais bien que tu n'as pas le pied marin!

Ils se lancent des regards à la dérobée. Ils ont toujours prétendu que Marin ne portait pas bien son nom. Cette fois, au lieu de vouloir s'amuser à ses dépens, les écoliers s'inquiètent. Que va donc devenir leur compagnon?

Ondine est là, elle aussi. Elle a tout vu. Et elle est la seule à sourire...

4

LE PRINCE
DES POISSONS

Marin ne voit pas les signaux que lui envoient ses camarades pour le retenir. Il n'a qu'une idée en tête : dompter le monstre bleu. Alors il met le cap sur l'horizon.

À chaque tremblement qu'il ressent, à chaque doute qui l'assaille, à chaque battement de son cœur affolé, il revoit son père blessé, sa famille appauvrie, les hommes perdus en mer, le village en pleurs, sa chère amie Ondine. Ces images l'aident à surmonter sa peur de l'eau.

Bientôt, la goélette vogue en haute mer. Marin ne distingue plus de la côte qu'un mince ruban gris. Les vagues pleines d'écume deviennent plus redoutables. Le voilier tangue dangereusement d'un côté puis de l'autre.

Le garçon se cramponne à la roue pour ne pas basculer par-dessus bord. Son estomac se soulève. Sur le point de rendre son petit-déjeuner, il place sa main sur sa bouche. Au même moment, il aperçoit quelque chose briller à travers les flots.

— De l'or ! s'exclame-t-il, les yeux écarquillés.

Heureux de trouver si vite la solution à ses problèmes, il en oublie son mal de cœur.

L'objet se rapproche de la surface et resplendit avec plus d'intensité. Une magnifique couronne dorée reflète les rayons du soleil. Sous le précieux bijou apparaît la tête d'un énorme, d'un gigantesque poisson! Son corps visqueux et recouvert d'écailles forme avec sa queue une demi-lune qui se trémousse sans arrêt.

— Alors, marin d'eau douce, comme ça, tu désires me pêcher! lance le poisson, un brin malicieux.

Médusé, Marin recule d'un pas sur le pont. Le Prince des poissons est mille fois plus gros que dans son imagination! Et puis, comment a-t-il su que le garçon voulait le piéger dans son filet?

— Pauvre petit! renchérit l'animal aquatique. Ton filet n'est pas assez grand pour moi. Et ton bateau n'est pas assez solide pour me touer. D'un seul coup de nageoire, je te ferais sombrer au fond de l'eau. Regarde un peu…

Le Prince ricane en faisant frétiller ses ouïes. D'un bond, il replonge dans l'eau, éclaboussant Marin. Il donne un léger coup sur la coque qui se met à craquer. La goélette tangue de plus belle.

— Tu ne me fais pas peur! bredouille le garçon, au bord des larmes.

— Ah non? reprend le Prince des poissons. Ce n'est pas ce que j'ai entendu dire! Ah, ah, ah!

Sans un mot de plus, le poisson s'enfonce de nouveau sous les vagues.

Marin demeure pantois. Il regarde autour de lui. L'océan domine le paysage. Il est si grand, si bleu, si présent, si mystérieux. Et pourtant…

— Et pourtant je suis là, sur un bateau, en pleine mer…, articule-t-il, des trémolos dans la voix.

Marin comprend que tout est possible, que c'est lui et lui seul qui peut changer sa destinée. Surtout, il ne veut plus être la risée des autres jeunes du village. Il a envie de se montrer digne de la confiance d'Ondine et de l'amour de ses parents.

Alors, avant de la perdre de vue, le garçon met le cap sur la couronne dorée. La goélette fend la crête des vagues. Hélas! Marin doit vite se résigner. Le poisson et sa parure précieuse ont disparu. Il ne voit plus que l'océan qui règne en maître. Le rivage n'existe plus. Il s'est lui aussi volatilisé.

Dans le ciel, le soleil s'incline en une longue révérence. Les rayons s'étirent pour rougir la surface de l'eau. Les nuages blancs rosissent. La goélette et son voilage jettent des ombres mauves alentour.

Des étoiles naissent dans le ciel pour tenir compagnie à Marin. Le jeune garçon hoquette. Ses craintes reviennent le hanter de plus belle. Il s'appuie contre la barre et passe sa première nuit en mer, bercé par le roulis incessant des vagues.

5

LA BELLE MESSAGÈRE

Marin navigue depuis plusieurs jours. Tourne-t-il en rond ? Revient-il sur ses pas ? Ballotté au milieu des flots, il ne sait pas où il est, ni où il va. Il ignore comment s'y prendre pour lire les instruments de navigation : astrolabe, compas, boussole, sextant… Pour lui, c'est du pareil au même.

—J'aurais dû écouter papa quand il tentait de m'enseigner les rudiments de son métier, se reproche-t-il.

Non loin, une nappe de brouillard se lève pour cacher l'horizon. La goélette fonce droit dessus. Telle une grande cape grise, elle enveloppe Marin et son navire.

Soudain, une voix cristalline résonne dans l'air.

—Rentre au bercail, petit homme. La tempête approche…

Marin repousse de la main une frange de brume. À la proue du bateau, la sirène sculptée dans le bois remue les bras pour attirer son attention.

—Pars avant que l'océan ne t'avale, dit-elle, ses longs cheveux dansant dans le vent. Il en est encore temps.

Une tempête? Marin sent de nouveau l'angoisse l'envahir. Il a envie de virer de bord et d'oublier cette folle aventure. Qu'est-ce qui lui a pris de braver ses démons et de foncer vers l'inconnu? Pourtant, quelque chose le retient.

— Je ne peux pas, refuse-t-il, le cœur gros. Je dois sauver ma famille. Je dois aider le village.

— Tu n'y arriveras jamais seul, prétend la belle messagère. Écoute-moi et retourne d'où tu viens.

Marin serre les mâchoires. Qui est-elle pour lui donner des ordres? De quoi se mêle-t-elle? Il retrouvera le Prince des poissons et l'emmaillotera dans son filet. Il le vendra, lui et sa couronne dorée, au marché de la grande ville, et en tirera une fortune. Marin est déterminé à réussir. N'est-il pas en train de voguer sur les flots alors qu'il a une peur bleue de l'eau?

Le garçon donne un brusque coup de barre pour changer de cap. La sirène reprend aussitôt sa posture initiale et, immobile, ne dit plus un mot. Le brouillard se fait plus discret et finit par s'évanouir. Marin sourit. Malgré ses mains moites et ses jambes un peu flageolantes, il a pris la bonne décision.

Il entonne une vieille chanson de loups de mer que fredonnait autre-

fois son grand-père lorsqu'il rac-
commodait les mailles de ses filets :

Encore et hop et vire
Encore et hop et vire
Encore et hop et vire
Vire encore un coup…

Soudain, le ciel se couvre de nuages noirs. Le vent souffle avec force, soulevant des embruns qui piquent le visage de Marin. Les voiles claquent sèchement. Le ciel crache de grosses gouttes de pluie. Les vagues se gonflent. Elles s'agitent autour du bateau pour se déverser en cascades sur le pont. Le tonnerre gronde comme mille tambours, les éclairs dessinent de larges zébrures dans le jour assombri.

Debout devant la roue, Marin ne peut plus bouger tant la pluie alourdit ses vêtements. Il a froid, il grelotte. Il ignore quoi faire. Il ne peut plus fuir la tempête. Il doit désormais l'affronter, au péril de sa vie. Quelle catastrophe!

—Papa…, prononce-t-il avec difficulté.

Une immense vague se dresse à bâbord, comme un mur si haut que le ciel et les nuages n'existent plus. Elle s'abat sur le bateau dans un fracas terrible. Les planches de la coque craquent, la voile de misaine se déchire, le grand mât se brise en deux. Marin perd l'équilibre et tombe à la renverse. Les vagues déchaînées le lèchent de leurs longues langues salées. Il glisse sur le pont comme une poupée de chiffon.

—Papa! crie-t-il plus fort.

En deux temps, trois mouvements, Marin plonge tête première dans l'océan orageux. Une vague le soulève dans les airs. Le corps du garçon danse au sommet de la crête, pour ensuite sombrer !

Le pauvre Marin se débat, vire-volte dans l'eau, cherche son air, donne de furieux coups de pieds pour remonter à la surface. Mais au cœur de ce tourbillon chaotique, il ne distingue plus où se trouvent le haut ni le bas.

À travers les trombes d'eau, Marin croit voir la gueule du Prince des poissons s'ouvrir pour n'en faire qu'une bouchée.

6

L'ÉCHO MOQUEUR

Le sol est mou et parsemé de flaques d'eau. L'air sent le limon et le poisson pourri. Non loin, le ressac chuchote timidement. L'humidité amplifie le froid qui règne.

Marin ouvre les yeux et se les frotte avec vigueur. Il tâte ensuite ses bras et ses jambes. Il sourit.

—Je suis toujours en vie! s'exclame-t-il avec bonheur. Toujours en vie!... Toujours en vie!...

Intrigué par l'écho qui répète ses paroles, le naufragé se lève d'un bond. Il marche dans l'étrange endroit habillé de pénombre. Il ne voit presque rien. Où se trouve-t-il?

Il se souvient alors de la terrible tempête et de la gueule béante du Prince des poissons qui s'apprêtait à l'engouffrer.

—Il ne m'a quand même pas avalé tout rond!... Quand même pas avalé tout rond!... Quand même pas avalé out rond!...

Le garçon ne voit pas d'autre explication. Il éclate en sanglots. Sa complainte envahit l'espace. Ce bruit ne cesse de danser autour de lui. On dirait que des dizaines d'enfants, cachés dans le noir, pleurent avec lui.

Comment va-t-il se sortir de ce pétrin ? Comment rentrera-t-il chez lui s'il n'a plus de bateau ? Que deviendra-t-il ? Il se rappelle un certain Jonas prisonnier dans le ventre d'une baleine... mais il a oublié de quelle manière se termine cette histoire !

— C'est trop tard, maintenant, pour te poser des questions... Pour te poser des questions... Pour te poser des questions...

Une voix sans âge, qui lit dans le cœur du garçon, vibre à son tour dans l'air. Marin plisse les yeux. Au bout d'un moment, il aperçoit, tapie dans un coin, une forme arrondie qui gigote un peu. Des pattes s'étirent, ainsi qu'un long cou ratatiné qui se termine par une tête chauve et édentée. Une tortue avance vers lui.

—Qui êtes-vous?... Qui êtes-vous?... Qui êtes-vous?...

—Moi? Je ne suis qu'un vieux reptile qui en a vu d'autres... Qui en a vu d'autres... Qui en a vu d'autres...

Marin essuie ses larmes du revers de la main.

—Où suis-je?... Où suis-je?... Où suis-je?...

—Dans une sorte d'oubliette pour ceux qui ne respectent pas la Mer... Pour ceux qui ne respectent pas la Mer... Pour ceux qui ne respectent pas la Mer...

—Mais qu'ai-je fait de mal?... Qu'ai-je fait de mal?... Qu'ai-je fait de mal?...

—Crois-moi, reprend la tortue, tu aurais dû te poser cette question bien avant, petiot... Bien avant, petiot... Bien avant, petiot...

—C'est que mon père ne m'a jamais rien dit... Mon père ne m'a jamais rien dit... Mon père ne m'a jamais rien dit...

—Et vous en payez tous les deux le prix... Vous en payez tous les deux le prix... Vous en payez tous les deux le prix...

L'écho déplaisant semble se moquer de l'infortune de Marin.

—Mais je ne savais pas..., se plaint le garçon. Je ne savais pas... Je ne savais pas...

La tortue le dévisage d'un air calme. Elle ouvre la bouche et exhibe le bout de sa langue comme pour lui faire une grimace.

—Pfft! Ce n'est pas une bonne raison, ça!... Ce n'est pas une bonne raison, ça!... Ce n'est pas une bonne raison, ça!...

Insulté, Marin serre les poings. Il ne pense même pas à demander à la tortue s'il existe un moyen de sortir de là. Avec ses paroles et son attitude méchantes, voudrait-elle seulement lui prêter main-forte?

Aussi le garçon décide-t-il de s'éloigner pour mieux inspecter les parois qui l'entourent. À sa grande joie, il découvre qu'elles sont en pierre! Il se trouve dans une grotte, et non dans les entrailles d'une baleine.

La tortue soupire. Ses trois paires de paupières clignent lentement. Sans insister, elle s'en retourne dans son coin, rentre tête et pattes dans sa carapace et retombe, plouf! sur le sol mouillé.

De son côté, Marin continue d'examiner la caverne. Il doit bien y avoir une sortie quelque part. Il n'a pas envie de passer le reste de ses jours prisonnier de ces lieux.

Surtout pas en compagnie d'un reptile plus énervant qu'un perroquet...

7

L'ÉTOILE DES MERS

Marin parcourt de nombreuses galeries souterraines. Il a l'impression d'être au cœur d'un gigantesque labyrinthe. Hélas! Après des heures de recherche, il ne repère pas la moindre issue. Il ne rencontre que des parois raboteuses et froides, que des stalactites et des stalagmites ruisselantes qui tentent de se toucher pour mieux se tenir compagnie dans le noir.

— Comment suis-je arrivé dans cette grotte?... Dans cette grotte?... Dans cette grotte?...

Il ne comprend rien. Il doit bien y avoir une façon d'en sortir puisqu'il y est entré!

Affamé et épuisé, le garçon se laisse tomber sur un rocher. Il lève les yeux vers les colonnes cristallisées qui perlent sur son visage. D'abord, il croit rêver. Puis, à force de regarder, il remarque quelque chose qui scintille là-haut dans les airs.

— Qu'est-ce que c'est? se demande-t-il. Qu'est-ce que c'est?... Qu'est-ce que c'est?...

Il se remet debout, s'élève sur la pointe des pieds et s'étire le cou. Une sorte de puits naturel perfore la haute paroi de la grotte, au-dessus de sa tête. Grâce à lui, il peut voir le firmament. Dans la voûte céleste d'un intense bleu violacé, une magnifique étoile jette mille éclats. Elle semble si fine, si délicate, si lointaine. Et Marin se sent si seul qu'il éprouve le besoin de lui parler.

— Qui es-tu ?… Qui es-tu ?… Qui es-tu ?…

Les étoiles ne parlent pas. Chacun le sait. Mais les proues de bateau, les poissons et les tortues non plus… Marin soupire et baisse la tête lorsqu'il entend une voix souffler à son oreille.

— On m'appelle l'Étoile des Mers, celle qui guide les marins.

Le garçon se redresse. Oui, c'est bien elle, accrochée dans le ciel, qui lui a répondu. Mais ni sa présence ni ses mots ne réconfortent Marin. Ses désastreuses aventures en mer lui font sérieusement douter du réel pouvoir que possède l'étoile.

— Pfft! fait-il d'un ton sceptique. Tu ne m'as pas beaucoup aidé!… Pas beaucoup aidé!… Pas beaucoup aidé!…

Nullement offusquée, l'Étoile brille encore plus dans le ciel de la nuit.

— Je t'accompagne pourtant depuis le premier jour de ton voyage. Ne m'as-tu jamais remarquée?

Marin fronce les sourcils. Non, il en est certain. Il ne l'a jamais vue auparavant.

— Je t'ai envoyé plusieurs messagers, ajoute l'astre de sa voix céleste.

L'Étoile des Mers darde ses rayons stellaires qui se faufilent par l'étroite ouverture de la grotte. Bientôt, Marin sent une douce chaleur l'envahir. Il ferme les yeux et s'imagine à la maison, dans son lit, lorsque sa mère le borde et qu'elle pose une main bienveillante sur son cœur.

Son départ lui revient en mémoire, alors que la goélette quittait le port. Il se souvient d'abord des hirondelles de mer qui virevoltaient étrangement dans le ciel, de la belle sirène de bois, puis de la tortue…

— Mon vieil ami le reptile est un peu revêche, admet l'étoile. Mais il accepte toujours de conseiller ceux qui le lui demandent…

Des larmes mouillent les yeux de Marin, puis roulent sur ses joues. Son désir de dompter le monstre bleu a tout effacé, même sa peur de l'eau. À quoi a-t-il pensé ? Pourquoi a-t-il refusé d'écouter les signes mis sur sa route ? Est-ce l'orgueil qui lui a fait repousser l'aide de ceux qui l'entouraient ? Croyait-il réussir à affronter seul le mystérieux océan ? Vouloir pêcher le plus gros des poissons est-il vraiment la meilleure solution à ses problèmes ? Il ne sait plus.

— À faire à ma tête, murmure-t-il, honteux, je n'ai aidé personne du tout… Je n'ai aidé personne du tout… Je n'ai aidé personne du tout…

Marin se promet, mais un peu tard, qu'il ne recommencera jamais plus. Il se recroqueville sans pleurer dans un coin sombre de la grotte. Les larmes ne servent plus à rien. Il attend. Un miracle? Un coup de baguette magique?

Exténué, le jeune aventurier s'endort aussitôt.

8

L'ESCALIER EN COLIMAÇON

Marin n'en revient pas. Il assiste à un grand banquet digne des plus beaux châteaux. Devant lui se déploie une table surmontée de fruits, de gibier, de pâtés et de desserts incroyables nappés de chocolat et de sirop. Il en a l'eau à la bouche et essaie de goûter à tout.

Au centre des plats, il y a une vaste assiette où est couché le Prince des poissons. L'animal a les yeux clos et ses branchies ne vibrent plus. Sa couronne dorée a disparu. Il a été vaincu !

Autour de la table, les invités festoient et rient. Ils ont mis leurs habits du dimanche. Parmi eux, le garçon reconnaît ses parents, les gens du village, ses camarades et, bien sûr, la belle Ondine qui porte une robe blanche dont les froufrous de mousseline rappellent les vagues de la mer. La maîtresse d'école approche en tenant un coussin de velours bordeaux sur lequel brille la fameuse couronne du Prince des poissons.

— Vive Marin ! s'exclament en chœur les écoliers.

—Hourra pour le plus grand pêcheur du monde! renchérissent les compagnons de pêche de son père.

Tandis qu'on dépose la couronne d'or sur la tête de Marin, ses parents l'embrassent fièrement sur les joues.

—C'est mon fils, répète sans cesse le pêcheur blessé à la jambe. Regardez, c'est mon fils!

Marin est ébahi. Le village revit. Lui, le petit garçon qui avait si peur de l'eau, il a sauvé les siens de la misère. Il a réussi à attraper le plus gros poisson de l'océan.

Sauf qu'il a beau chercher au fond de sa mémoire, il ne se souvient plus de rien! Comme c'est étrange…

Après le merveilleux repas, des musiciens invitent les convives à se dégourdir les jambes sur des airs enjoués. Ondine sourit à son ami.

— M'accordes-tu cette danse, marin de mon cœur ?

Les joues en feu, le garçon accepte d'un timide signe de tête. Alors que les deux jeunes tournoient parmi les autres danseurs, Marin souffle à l'oreille de la jeune fille :

— Il y a une erreur, Ondine… Ce n'est pas moi… Je n'ai rien fait…

Elle secoue la tête sans perdre son beau sourire.

— Pas encore… mais ça viendra !

Marin se réveille en sursaut. Il n'a rien mangé depuis des jours et son estomac crie famine. Il passe une langue épaisse sur ses lèvres. Il a l'impression que les mets délicieux qu'il a goûtés dans son rêve y ont laissé une subtile empreinte.

Une douce lumière baigne maintenant l'intérieur de la grotte. Le jour se lève. Une sorte d'escalier aux marches inégales et taillées dans la pierre vrille jusqu'au puits où Marin a aperçu, la veille, la belle Étoile des Mers.

— Une sortie! s'écrie-t-il. Une sortie!… Une sortie!…

Revigoré et plein d'espoir, il bondit sur ses pieds. Il grimpe l'escalier en colimaçon et arrive bientôt à l'air libre.

L'océan est redevenu calme. Il clapote gentiment sur les récifs, au pied de la falaise. Il s'anime de reflets tantôt émeraude, tantôt cyan. Cette vision paisible fait quand même frissonner Marin :

il sait qu'il ne faut surtout pas se fier aux apparences.

—Tu n'as pas à avoir peur de l'océan, chantonne l'Étoile des Mers, encore visible malgré l'or du soleil qui resplendit alentour.

—Tu en es bien certaine? ne peut-il s'empêcher de demander.

—Ne crains pas les forces de la nature, ajoute-t-elle. Respecte-les. C'est tout.

Marin baisse les yeux vers l'océan. Il aperçoit alors la vieille goélette, affaissée sur la petite plage de galets, en contrebas. Elle semble attendre le retour de son capitaine.

Le garçon dévale la falaise. Il s'embarque à bord du voilier et grée la troisième voile au mât de misaine.

—Oh! hisse! Oh! hisse! scande-t-il pour oublier que ses mains tremblent toujours un peu.

Puis, à la faveur de la marée montante, le vieux bateau de pêche glisse de nouveau sur l'eau. Le petit capitaine suit l'Étoile des Mers et parvient à quitter l'île où il s'était échoué.

9

LE BANC
DE POISSONS

Après quelques heures en mer, Marin distingue la côte de son village natal. Il soupire de soulagement. Comme il a hâte de retrouver les siens !

Au moment où il tourne la roue à tribord, un énorme banc de poissons jaillit à la surface de l'eau.

Le garçon se précipite sur son filet, puis secoue la tête.

— Ça ne sert à rien de perdre mon temps à essayer de tous les attraper…

Il va se camper devant la roue et met le cap sur son village. La vieille goélette fait son entrée dans la baie. Plusieurs villageois se rassemblent sur le quai. Ils battent des mains, heureux de voir Marin revenir en un seul morceau. Le garçon ne quitte cependant pas son bateau. Il n'est pas encore prêt à mettre pied à terre. Au contraire, le deux-mâts accidenté décrit un arc, prêt à repartir de plus belle vers l'aventure.

— Venez avec moi! leur crie-t-il. Vite!

Sur le quai, les villageois jeunes et vieux hésitent. Ont-ils bien entendu?

— Allez! insiste-t-il. Je sais où il y a du poisson!

Inspirés par l'assurance du garçon, les femmes et les enfants du village montent à bord de quelques embarcations pour le suivre. Sur le quai, les pêcheurs blessés leur adressent conseils et encouragements. Marin guide la petite flottille vers l'énorme banc de poissons.

Là, ils jettent filets et nasses par-dessus bord, qui s'emplissent en un rien de temps!

Après avoir déversé leurs prises sur les ponts, ils s'apprêtent à relancer les poches à l'eau. Marin les arrête.

—Non, nous en avons assez pour nous renflouer! déclare-t-il. Laissons-en pour les prochaines fois…

De retour au village, on rit et on crie des bravos à Marin. La fête ressemble beaucoup à celle de son rêve, quand il dormait dans la grotte. Le Prince des poissons et la couronne d'or en moins!

Ondine s'approche. Elle pose un baiser timide sur la joue de son ami.

— Je savais bien que je pouvais te faire confiance!

— Et moi, je t'avais bien dit que tout s'arrangerait!

Les deux jeunes éclatent de rire, entourés de leurs camarades et des pêcheurs blessés qui félicitent chaleureusement le garçon.

— Sans vous, leur confie Marin, je n'aurais pas réussi à rapporter autant de poissons!

Marin ne se vante pas de ce qu'il n'a pas fait. Et les villageois l'apprécient encore plus pour son humilité. Le soir, sur la route qui mène chez lui, Marin marche en compagnie de sa famille. Le chant du ressac des vagues accompagne leurs pas et leur bonheur retrouvé. Près de la maison, le père touche le bras de son fils.

— J'ai bien fait de t'appeler Marin…, souffle le père, ému et fier, en s'appuyant sur sa béquille.

— Tu le portes à merveille, ton prénom! renchérit la mère.

Marin baisse la tête. Oui, il est monté à bord d'un bateau pour aider le village. Oui, il a pêché du poisson malgré les nombreuses aventures qu'il a vécues. Sa peur du monstre bleu s'est estompée. Mais autre chose le tourmente encore.

— Qu'y a-t-il? s'inquiètent les parents du garçon.

Marin prend une grande inspiration. L'air salé de la brise du soir emplit ses poumons.

— J'ai compris que je peux accomplir des choses même si j'ai peur, mais…

Il relève la tête vers ses parents. Ce qu'il souhaite leur confier est difficile. Depuis longtemps il se demande s'il aura un jour assez de courage pour dévoiler ce qui se cache au fond de son cœur.

— … mais je ne veux pas devenir pêcheur, annonce-t-il d'un trait. Je ne veux pas gagner ma vie sur l'eau.

Voilà, c'est dit. Les mots ont franchi ses lèvres. Il s'en est libéré.

Ses parents se concertent du regard. Ils s'en doutaient depuis toujours.

— Et que veux-tu faire?

Le garçon hausse les épaules. Il ne le sait pas encore.

— Bah! s'exclame son père en lui tapotant l'épaule. Tu as bien le temps de découvrir ce qui te plaît le plus!

Marin écarquille les yeux. Est-il en train de rêver?

— Que tu suives les traditions ou que tu choisisses ta propre voie, conclut sa mère d'un tendre sourire, nous serons toujours fiers de toi.

Et, sur le pas de la porte, ses parents embrassent de nouveau Marin tandis que là-haut, dans le ciel bleu violacé, l'Étoile des Mers cesse un court instant de briller, comme pour leur offrir un clin d'œil complice.

TABLE DES MATIÈRES

Sonia K.
Laflamme

Sonia K. Laflamme a écrit son premier roman au crayon à mine à l'intérieur de cinq cahiers Canada. Elle avait alors quatorze ans. Depuis, tout plein de personnages et de péripéties l'habitent et l'invitent à voyager… en pantoufles, bien assise devant son clavier d'ordinateur. Elle a l'impression de vivre mille et une vies !

Et ce roman-ci, avec sa brise marine et ses rencontres insolites, convie certainement à la plus merveilleuse des aventures !

Collection Sésame

Illustration : Sampar

Ce livre a été imprimé
sur du papier enviro 100 % recyclé.

Nombre d'arbres sauvés : 2

Ensemble, tournons la page sur le gaspillage.